MATE

South American Friendly Symbol
Símbolo de amistad

MATE

South American Friendly Symbol
Símbolo de amistad

Ilustraciones: Mario Rivero
Traducción al inglés: Iraí Freire

Quinta reimpresión: noviembre 2004

ZAGIER & URRUTY
P U B L I C A T I O N S
Las Lajas 1367 — 9410 Ushuaia
C.C. 94 Sucursal 19 — C1419ZAA Buenos Aires — Argentina
☎ (54-11) 4572-1050 — FAX (54-11) 4572-5766
E-MAIL info@zagier.com — www.patagoniashop.com

SOLICITE CATALOGO — *ASK FOR CATALOG*

Hacer un mate o "cebar" mate

Cualquiera puede servir o hacer un mate pero no es tan fácil encontrar buenos cebadores de mate. Se considera una buena mateada cuando la persona que lo "hace o sirve", logra mantenerlo en buena forma por un tiempo, es decir, un buen cebador.

A diferencia de un té, cebar mate no solo significa verter agua caliente al mate sino mantener el mate en condiciones agradables para ser tomado. Ese trabajo, en la época de la colonia, estaba reservado para sirvientes especializados: las cebado-

To prepare or "cebar" mate

Anybody can serve or prepare mate, but it is difficult to find a good mate cebador (person expert in preparing mate). An expert is that who can "prepare or serve" a good round of mate keeping it tasty for a certain time.

Contrary to serving tea, preparing mate not only involves pouring hot water into it but also keeping the beverage in suitable conditions so as to be drunk. In colonial times, this task was reserved for specialized servants: mate cebador. Even nowadays, among gauchos and

ras de mate. Incluso hoy, entre los gauchos y arrieros o entre un grupo de amigos, sea en un taller mecánico, una oficina o un barco, siempre hay alguien que se especializa en hacerlo.

Para aquellos tomadores habitués, generalmente exigentes, un mate mal cebado es casi un insulto. No es raro que se escuche decir, al tiempo que devuelve el mate, "no, este mate es de gringos" como atribuyendo la ignoran-

muleteers or a group of friends, in a garage, in an office or on board there is always somebody specialized in preparing mate.

For habitual drinkers, who are generally demanding, a badly prepared mate is almost an insult. When one of them returns a mate, you will probably listen: "No, this is gringos' mate," as if the nationality of the cebador had to do with

Mate Galleta

cia en cebar mate a la nacionalidad del cebador.

Pero volviendo a las formas de tomar un mate este puede ser sin azúcar al que se lo denomina "amargo" o "cimarrón" o "verde". "Mate dulce" es aquel que tiene azúcar. El "tereré" es el mate amargo cebado con agua fría. Popularmente se dice que el mate dulce es aquel que toma la gente de ciudad, mujeres y "gringos". El amargo es para la ruda gente del campo y es común escuchar de un gaucho simplemente "vamos a tomar unos amargos".

his ignorance of how to prepare it.

As for the different ways of drinking mate, we find the "amargo" (unsweetened) or "cimarrón" or "verde" (green) which is served without any sugar. "Sweet mate" has sugar. Unsweetened mate served with cold water is called "tereré". It is popularly said that city dwellers, women and "gringos" drink sweet mate. Unsweetened mate is for rough country people, and it is common to hear gauchos say simply: "Let's drink some amargos".

¿Pero cómo se ceba un mate?

Para los más exigentes o tradicionalistas sólo se debe matear en aquellos de origen vegetal conocido como calabacita o "porongo" (Lagenaria vulgaris). Existen mates de distintos tipos de madera, de cerámica, porcelana, loza, metal y hasta de plástico. Las indicaciones que ahora se detallan puede utilizarse en cualquiera de ellos.

How to prepare mate

For those who are more demanding or traditionalistic, mate should only be served in vessels of vegetable origin known as calabash or "porongo" (Lagenaria vulgaris), the hollow shell of a kind of gourd. There are matepots made of different types of wood, and of pottery, chinaware, crockery, metal and even plastic ones. The following instructions apply to any of them.

Mate amargo:

Cargue la yerba hasta 2/3 partes de la capacidad de su mate. Vuelque el mate sobre la palma de la mano y agítelo suavemente en forma de zaranda. Esta operación es para que la yerba más fina (en polvo) quede en la superficie.

Vuelva el mate a su posición normal muy lentamente teniendo cuidado que la yerba haya quedado hacia un costado del mate.

Verter agua tibia sobre la parte más vacía del mate. Dejar absorber. Se repite la operación con el agua

Unsweetened mate (amargo):

Fill your matepot with yerba mate up to 2/3 of its capacity. Cover the top of the pot with your palm and turn it upside down to shake it gently as if it were a sieve. This procedure draws the thinner yerba (powder) to the surface.

Turn the gourd to its normal position slowly so that yerba is accumulated on one of the sides.

Pour warm water on the emptier part of the gourd. Let yerba absorb the water. Repeat this step

un poco más caliente; nuevamente se la deja absorber.

Este es el momento en que se debe introducir la bombilla hasta el fondo y en el mismo costado casi vacío. Algunos súper exigentes sostienen que hay que tapar el pico de la bombilla para evitar que salga el aire y se tape la bombilla.

Es a partir de este momento que se comienza a cebar el mate con agua caliente pero nunca hirviendo. Si se tiene cuidado y se vuelca el agua en forma de un chorrito fino, la yerba del lado contrario quedará seca por un buen tiempo. El buen cebador va corriendo el lugar donde echa el chorro de agua y comienza a

with slightly hotter water and let yerba absorb it again.

At this stage the bombilla (tube for drawing off liquids) should be placed on the same emptier side. Some extremely demanding experts claim that the top of the tube has to be covered to prevent air from escaping, thus obstructing the bombilla. From this moment on mate is served with hot water, but never boiling. If you are careful enough so as to pour a thin spout, yerba on the opposite side will remain dry for a considerable time. The good cebador changes the place where he pours water little by little and starts to water down the dry yerba so that

mojar la parte seca de la yerba para ir incorporándola lentamente. De esta forma prolonga el sabor parejo de la mateada.

A medida que comienzan a aparecer los palitos de yerba flotando (mate lavado), el buen cebador reemplaza (hace "bostear" al mate) parte de la yerba.

it is slowly added. Thus, the even taste of the round of mate is prolonged.

As yerba sticks start to float (washed mate), the good cebador replaces part of the yerba (in mate jargon, this is called "bostear").

Buenos Aires

Para el mate dulce:

Se procede de igual forma que para el amargo pero se va agregando _ de cucharadita de azúcar por cada mate. Se debe poner del lado donde esta la bombilla. Donde se vierte el chorrito de agua caliente.

Ya que el mate está listo, tomemos unos amargos mientras leemos algo sobre el origen de esta bebida, tan extraña para los ojos del extranjero.

El mate cocido es una infusión que se hace a modo de té y se lo consume solo o con leche. Es normal tanto en los desayunos como en las

Sweet mate:

The procedure is the same explained above, but _ of a sugar spoonful is added to each mate on the side of the bombilla, where hot water is poured.

Our mate ready, let's have some amargos while we read something about the origin of this beverage which appears so strange from the point of view of a foreigner.

The mate cocido is an infusion prepared like tea and usually drank with some milk. It is common for breakfast and teatime, and in the country it is practically the obliga-

meriendas siendo en el campo prácticamente la bebida obligatoria de todos los niños tanto en las casas como en las escuelas para acompañar un pedazo de pan con manteca y azúcar.

Por suerte es cada vez más normal encontrar esta infusión en confiterías, bares y restaurantes. Según la ocasión se lo puede tomar caliente o frío; solo o con leche o limón.

tory beverage for children, both at home and school, to have with bread and butter sprinkled with sugar.

Luckily, it is becoming common to find this infusion in cafés, tearooms, bars and restaurants. According to the occasion, it is drunk either hot or cold, with some milk or lemon.

Descubrimiento del Nuevo Mundo y de la yerba mate

La primer referencia del uso de la YERBA - MATE en estas tierras nos llega de parte del Adelantado Hernando Arias de Saavedra (Hernandarias) en 1592. Según lo observado por ellos, y relatado por Ruíz Díaz de Guzmán en el libro "Breve historia de etapas de Conquista" (1612), los indios llevaban, junto a las armas, unas pequeñas bolsas de cuero ("guayacas") en los que guardaban hojas de yerba mate triturada y tostada que masticaban o colocaban en una calabaza con agua y sorbían ya sea usando sus dientes como

The Discovery of the New World and the Yerba Mate

The Adelantado Hernando Arias de Saavedra (Hernandarias) gave the first news of the use of YERBA MATE in this land in 1592. According to the book "Breve historia de etapas de Conquista" (a short history of the Spanish Conquest), written by Ruíz Díaz de Guzmán in 1612, natives carried—together with their weapons—small leather bags (called "guayacas") in which they kept grinded and toasted yerba mate leaves that they used to chew or sip from a calabash with

filtro o por medio de un canuto de caña. Según los españoles estas hojas les daban mayor resistencia para las largas marchas o en las labores diarias.

También dan cuenta que los brujos de las tribus, llamados "caraí payé", la bebían para establecer comunicación directa con el Diablo, "aná" en guaraní, y la consideraban una droga mágica. Vale la pena preguntarse si se trataba de nuestra "yerba mate" o de otra "hierba".

Todo esto ocurría en los territorios comprendidos por parte de Paraguay y en las provincias argentinas de Misiones y Corrientes. Esta

water using either their teeth —as a filter— or a cane tube. The Spaniards thought these leaves gave natives a higher physical resistance for long walks or to perform their daily works.

They also said that tribe wizards, called caraí payé, used to drink it to get in touch directly with the Devil, aná in the Guaraní language, and regarded it as a magic drug. It is worth wondering if this was our yerba mate or some other "herb".

All this happened in a territory extending from an area of the present Paraguay, and the Argentine provinces of Misiones and Cor-

era la zona por excelencia de la Yerba Mate.

Los españoles comenzaron a beber este brebaje en un recipiente de labios gruesos denominado "Bernegal" del cual bebían utilizando un apartador en forma de cuchara con orificios, con el cual separaban el agua de las hojas. Bautizando al "caa" de los guaraníes como simplemente Hierba del Paraguay o Yerba, dado que, como la conocieron antes de saber de dónde se obtenía, no sabían que su origen era de un árbol.

rientes. This was, par excellence, the area of Yerba Mate.

The Spaniards started to drink this beverage from a vessel of thick brims named "Bernegal" (cup with scalloped edges) using a sort of perforated spoon to separate the water from the leaves. They also christened the Guaraní "caa" simply Paraguayan Herb or Yerba, since at that moment they ignored the fact that it came from a tree.

Del Norte Argentino

Recipiente o mate

El recipiente que utilizaban era llamado por los guaraníes como "calguá" que era una palabra compuesta por "caa" (yerba) "1" (agua) y "guá" (recipiente) ; es decir algo así como recipiente para el agua de la yerba.

En quechua "mati" es el vaso o recipiente para beber, es decir la "calabaza o calabacita o porongo", nombre vulgar de la calabacera (Lagenaria vulgaris). Es de suponer que los españoles tomaron este vocablo para denominar a la hierba (yerba), al recipiente e incluso a la infusión. Es así como aparece la yerba mate,

Vessel or Matepot

The Guaraní called the vessel used by them "calguá", a compound word: "caa" (yerba), "1" (water) and "guá" (vessel); i.e. a vessel to drink the water of yerba.

In Quechua language "mati" is the pot or vessel to drink from, i.e. the "calabash or porongo (pot)", vulgar name given to a kind of calabash (Lagenaria vulgaris). The Spaniards must have used this term to name the herb (yerba), the gourd and even the infusion. Thus appeared the yerba mate, mate and mate cocido which Jesuits made known. Therefore, that infusion

el mate y el mate cocido del cual los jesuitas se encargaron de difundir. Tanto fue así que esa infusión fue conocida con el nombre de "té de los jesuitas" o "yerbao".

Fueron los padres jesuitas los que en las misiones iniciaron el cultivo intensivo de la "yerba mate" y contribuyeron a una difusión del producto en el Virreinato del Río de la Plata. Con la expulsión de los mismos en 1767, los "yerbatales" fueron abandonados y muchos de ellos se perdieron.

El médico francés Amado Bonpland inició hacia el 1800 los primeros estudios científicos de la planta, determinando sus bondades

was known under the name of "Jesuits' tea" or "yerbao".

The Jesuits in their missions were the ones who started the intensive culture of "yerba mate" and contributed to the expansion of the product in the Viceroyalty of the River Plate. When Jesuits were expelled in 1767, the "yerbatales" (yerba mate plantations) were abandoned and many of them were lost.

The French doctor Amado Bonpland started the first scientific studies on this plant towards 1800 and, after hard work, he determined its qualities and cultivation system. He was imprisoned in Paraguay for

y forma de cultivo. Además de mucho trabajo le costó unos cuantos años de prisión en el interior de Paraguay. Continuó su vida en libertad gracias a su amigo el naturalista Alexander Humboldt. Así continuó realizando trabajos por el resto de América hasta que en 1817 se estableció en Misiones para plantar yerba mate. Conocido como "el oro verde" las plantaciones de yerba mate determinó asentamientos de ciudades y durante la época de la Colonia, gobierno del Virrey Ceballos, se la uso como moneda. Es así como una "manada" de yerba era el pago de una jornada de trabajo. La medida se basaba en la cantidad de yerba

long years because of this. He was released thanks to his friend, the naturalist Alexander Humboldt. Then, Bonpland went on working all over the rest of America up to 1817, when he settled down in Misiones to cultivate yerba mate.

Plantations of yerba mate determined the settlement of new towns. Known as "the green gold" in colonial times, yerba mate was used during the government of the Viceroy Ceballos as currency. A "handful" of yerba was a day's wages worth.

The use of yerba increased and nowadays it is consumed as mate or as an infusion: adults and chil-

que pudiera contener la mano abierta del trabajador.

Su uso continuó generalizándose y es en la actualidad consumido tanto con el mate como en infusión; lo hacen los adultos como los niños; en el campo o la ciudad. No creo que nadie hubiese imaginado años atrás que, ya entrando en el siglo XXI, la costumbre continúe sea en su forma tradicional o en las playas más de moda donde se lo toma en vasos de trago largo con hielo y limón sea a la tarde o después de un partido de voley o andar en jet ski.

dren, either in cities on in the country have it. I think nobody could have imagined, years ago, that drinking it will continue to be a custom in the 21st century in the traditional style or on the more fashionable beaches where it is served as a long drink on the rocks with lemon during the afternoon, after a volleyball match or after practising jet ski.

Mate de calabaza. Su "curado".

Según la tradición y los entendidos a la calabacita se la debe "curar". Estos procedimientos garantizan un excelente sabor a la bebida. El motivo de esta curación es quitarle el gusto amargo que despide el hollejo seco que recubre el interior de la calabacita. Sin ser tóxico a veces es tan fuerte que anula el sabor de la infusión y puede provocar vómitos al recién iniciado.

Un dato a tener en cuenta es que existieron mates curados de fábrica. El procedimiento que usaban era el de tostar la calabacita y de esa

Calabash Mate. How to "cure" it.

According to tradition and connoisseurs, the calabash should be "cured." This proceeding guarantees the excellent flavor of the beverage. The aim of this cure is to neutralize the bitter taste produced by the dry skin that covers the inside of the calabash. Although it is not toxic, this may be so strong so as to annul the flavor of the infusion and may make people who have never tried mate sick.

It is important to bear in mind that there used to be manufactured cured mates. The small calabash

manera le sacaban el aceite de sabor fuerte que posee la corteza. Esto trae aparejado que el mate se reseca y se hace muy quebradizo. Es un punto importante a tener en cuenta porque de comprar un mate sería importante asegurarse que no haya estado en un lugar muy seco (calefacción). La vida útil del mismo se puede acortar a una sola cebada; incluso se rajan durante la curación. Pero veamos cómo es este proceso aplicable a los mates de calabacita, madera o coco.

Para mate dulce: mojar el interior del mate y echar un poco de azúcar molida haciendo que esta se

was toasted and, in this way, the strong-flavored oil of the peel was removed. But, as a consequence, the matepot dries thoroughly and becomes extremely brittle. When buying a matepot, it is important to make sure that it was not kept in an excessively dry place (e.g. with heating). This matepot may last only one round; some even crack during the cure. Now, let's see how this process applies to calabash, wood and coconut matepots.

For sweet mate: water the inside of the matepot and add some sugar so that it covers completely the interior walls. Let it dry.

adhiera a las paredes cubriendo todo el interior. Dejar secar.

Colocar 2 bracitas y agitar el mate, tapando la boca con la mano, para que estas vayan quemando el azúcar. Repetir esta operación un par de veces. El tiempo de quemando es de uno a dos minutos por oportunidad.

Luego lavar el mate con agua caliente y colocar yerba nueva humedeciéndola. Dejarla durante unas 12 horas. Pasado este tiempo el mate está listo para usar.

Existe un segundo método que consiste en lavar el mate con agua caliente y, una vez escurrido, hume-

Place two small live coals in the mate and shake it, covering the top with your hand, so that these coals burn the sugar. Repeat this step a couple of times. This takes one or two minutes each time.

Then wash the matepot with hot water, fill it with new yerba and water it. Let it rest for about 12 hours. Now, your matepot is ready to be used.

There is a second method that consists of washing your matepot with hot water and, once drained, soaking it with "caña" (spirit obtained from sugar cane). This alcoholic and sweet drink replaces sugar.

decerlo con "caña" (bebida alcohólica que se obtiene de la caña de azúcar). Esta bebida alcohólica y dulce reemplaza el azúcar.

Se llena el mate con yerba y se le agrega nuevamente "caña". Se deja esta yerba por unas 10 horas y queda listo para usarse.

Para mate amargo: se lava el mate con agua caliente y se lo llena de yerba. Se comienza a cebar el mate con agua fría y luego, sin ingerir el mismo, se va agregando agua caliente. Este procedimiento se repite dos a tres veces y queda el mate listo para ser usado. Existen otras variantes como dejar el mate con yerba húmeda durante un día o más, todo

Fill your matepot with yerba and add some "caña" again. This yerba should rest for some 10 hours and then your mate gourd is ready.

For unsweetened mate: the matepot is washed with hot water and filled with yerba. At first, the mate is served with cold water and then, without drinking it, hot water is poured little by little. This procedure is repeated two or three times and the matepot is ready. There are some other variants like letting the matepot rest with soaked yerba for one or more days; it depends on the different regions and customs. But the key step, apart from the washing, is remov-

depende de las regiones y costumbres pero la parte importante, además de su lavado, es quitarle el "hollejo" que pueda tener y evitar los primeros mates por el amargo sabor del aceite que larga la calabacita.

ing the "skin" left, apart from avoiding drinking the first mates since the calabash oil tastes bitter.

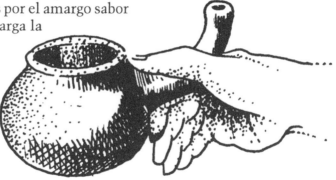

Yerba Mate
(Ilex paraguariensis)

Cuando los españoles llegaron a América se encontraron con muchas cosas nuevas como la papa, el maíz, el tomate, la mandioca y por supuesto la "yerba". De los indios aprendieron a beber esta infusión y les causó extrañeza la cantidad de veces que lo hacían por día. En un principio estuvo prohibida, con pena de "excomunión", por los padres jesuitas. Es que sostenían que esa bebida hecha con raíces de "hierbas" era la "ruina de estas tierras, porque hace a los que la toman, flojos,

Yerba Mate
(Ilex paraguariensis)

When the Spaniards arrived in America, they found many new products such as potatoes, maize, tomatoes, manioc or cassava and, of course, "yerba." They learnt from the natives how to drink this infusion and they were surprised at the many times a day indigenous people had it. At first, yerba was forbidden, (under threat of excommunication), by the Jesuits. They claimed that this beverage made of "herb" roots was the "ruin of this land, because it makes those who

holgazanes, sin honra...", refiriéndose a ella como un vicio.

Fue aceptada como bebida estimulante, al igual que el té, cuando los personajes más importantes de la ciudad de Asunción la incorporaron a la dieta. Como la yerba había que cosecharla en la Provincia de Misiones o en el interior de Paraguay, en el "Infierno Verde", los jesuitas deciden comenzar a colocar plantaciones en lugares más accesibles.

En un principio las semillas no germinaban y todo intento llevaba a nuevos fracasos. Tanto fue así que durante un tiempo se pensó que siendo una planta selvática sólo cre-

drink it lazy, idle, disgraced...," regarding it as a vice.

It was accepted as a stimulant drink, the same as tea, when the most important personalities of the city of Asunción included it in their diet. As yerba was harvested in the province of Misiones or in the countryside of Paraguay, in the "Green Hell", Jesuits decided to start plantations in more accessible places.

At the beginning, seeds did not sprout and every trial led to a new failure. So for a long time it was thought that, being a wild plant, yerba would only grow in its natural habitat. Later on, it was discovered that seeds should be fresh and

cía en su hábitat natural. Después se descubrió que las semillas debían ser frescas y se le debía sacar una especie de hollejo que las recubre, plantarlas en almácigos y luego transplantarlas para tenerlas en un vivero, durante un año, con abundante riego y protegidas a media sombra. Luego se la trasplanta a su lugar definitivo. Durante el período de arraigo (un año aprox.) se van reemplazando las plantas que mueren y se mantiene al terreno sin malezas protegiendo a la planta de excesivo sol, viento o frío mediante una protección realizada en paja o arpillera. Después se va podando la planta para que no tenga mucha altura y la copa sea frondosa. Así se lleva la

that their skin should be removed. First, they should be planted in seedbeds and then transplanted to a nursery, where they should be abundantly watered and protected in a half shadow for a year. Then, they are planted in their final place. While taking root (about a year) dead plants are replaced little by little, the land is weeded and the crop protected from excessive sunlight, wind or cold by covering it with straw or burlap. Later on, the plant is pruned so that it does not grow high and its crown becomes leafy. When the plant has grown enough to be harvested, it may be 3 to 6 meters high. In a wild state it

planta hasta su edad madura que es cuando entran los cosechadores. En esta edad la planta puede tener de 3 a 6 metros de altura. En estado natural llega a los 12-16 metros y necesita unos 30 años para desarrollarse.

En 1670 ya producían yerba pero no era tan bien aceptada como la del interior del Paraguay. Se necesitaron varios años, experiencias y ensayos para poder producir

Mate Porongo o Camionero

reaches 12-16 meters and takes 30 years to develop.

In 1670, there was already a yerba production but this was not as accepted as the Paraguayan. Experience, trials and several years were needed to be able to produce the amount and quality of yerba required. It was Jesuits who acclimatized this plant to the villages of the province of Misiones. Therefore, dangerous expeditions to the "Green Hell" (Maracayú) came to an end and practically every village had its

yerba en la calidad y cantidad que se requería. Fueron los jesuitas los que se encargaron de aclimatar la planta en los pueblos de la provincia de Misiones. De esta forma terminaron las peligrosas expediciones al "infierno verde" (Maracayú) y casi todos los pueblos tenían sus yerbatales. Estos requerían del trabajo de la tierra, mucho cuidado en el cultivo y canales para regadío, cosa que hacía ocupar mano de obra dado que con el tiempo Misiones y Corrientes, en mucho menor medida, se encargaron de suministrar la yerba mate consumida en todo el país.

Cuando los jesuitas fueron expulsados las plantaciones pasaron a *own mate field. These plantations demanded working of the soil, a careful cultivation and irrigation canals, which required manual labor since, as time went by, Misiones and Corrientes —to a lesser extent— provided yerba mate for consumption in the whole country.*

When Jesuits were expelled, plantations were taken over by military men and government officials. As time went by, they became private, but the new owners had a great advantage: yerba was already acclimatized and the secrets of its cultivation were known.

Harvest: The first harvest, of scarce profits, takes place when the

manos de militares y representantes del gobierno. Con el tiempo fueron pasando a manos de particulares pero con una gran ventaja: la yerba ya estaba aclimatada y se conocían todos los secretos para su cultivo.

Cosecha: La primer cosecha, de muy bajo rendimiento, se hace durante el cuarto y quinto año de vida de la planta, entre los meses de mayo y octubre. Se puede cosechar anualmente pero en las plantaciones silvestres se hace cada tres años. La poda se hace con tijeras, machete o serrucho dependiendo del grosor de la rama.

plant is four or five years old, between May and October. It may be harvested every year, but wild plantations are harvested every three. Scissors, machetes or handsaws are used to prune yerba mate, depending on the thickness of branches.

The plant is pruned, but some large branches are left so that it does not die. Then, leaves are removed from branches, which are broken so that they can be easily transported. One plant may produce from 20 to 25 kg of green leaves.

Production: Within the 24 hours following harvest, leaves should be dried. First, leaves are exposed to

Se poda la planta dejándole algunas ramas grandes para no matarla. Luego se separa la hoja de la rama y se quiebra esta para facilitar el transporte. Una planta puede dar de 20 a 25 kg. de hoja verde.

Elaboración: El secado se debe comenzar dentro de las 24 horas posteriores a la cosecha. El primer paso consiste en pasar por un fuego fuerte las hojas por el espacio de 30 segundos. De esta forma se evita la fermentación y se asegura que la hoja mantenga su color verde.

Luego se lleva las hojas al secadero donde las hojas deben reducir su humedad a sólo un 5%. En total las hojas pierden el 70% de su peso

fire for 30 seconds. Thus, fermentation is avoided and leaves keep their green color.

Then leaves are taken to the drying room where their humidity is reduced to a 5%. In all, leaves lose 70% of their original weight. Next, fire is put out and they cool down for 24 hours.

Once dried, they are triturated into pieces no bigger than 1 centimeter. The next step is the stationing that takes between 9 and 12 months. During this period yerba acquires its taste and flavor.

The grinding is the last step: using sieves, sticks and big leaves are

original. Luego se apaga el fuego y se deja que se enfríen durante otras 24 horas.

Una vez seca se procede a su trituración; así la yerba queda en trozos no mayores de 1 centímetro. El siguiente paso es el estacionamiento que dura entre 9 a 12 meses. Durante este período la yerba adquiere todo su aroma y sabor.

El paso final es la molienda donde por medio de zarandas se separan palos y hojas grandes para volver a ser trituradas. De esta molienda se obtiene 2 tipos de yerba: la argentina, sin palos ni fibra y la paraguaya; actualmente se las denomina con palo o sin palo.

separated to be triturated once more. Two types of yerba are obtained from this grinding: the Argentine —containing neither sticks nor fiber— and the Paraguayan. Nowadays, they are called "without sticks" and "with sticks", respectively.

The primitive yerba packaging was made of uncured fresh leather which, once dried, compressed yerba. Later on, leather was replaced by burlap, cans, jute, wooden casks. At present, it is automatically packed.

Good yerba is that which contains 15% maximum of sticks. This

El envasado primitivo era un cuero crudo fresco que al secarse la prensaba. Después se cambió por arpillera, latas, yute, barricas de madera y actualmente en paquetes que son envasados en forma automática.

Una buena yerba es aquella que contiene como máximo el 15 % de palo, esto asegura que la mayoría sea de hoja.

guarantees that most of it comes from leaves.

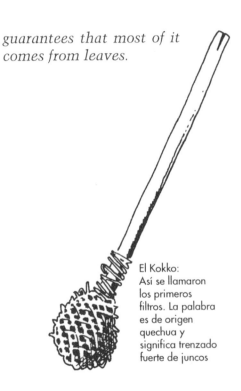

El Kokko:
Así se llamaron los primeros filtros. La palabra es de origen quechua y significa trenzado fuerte de juncos

La yerba mate según la medicina

Existen aquellos que defienden a la yerba mate y la llenan de propiedades y otros que dicen que no sirve para nada y que es un vicio. También con la bombilla se ha discutido sobre su higiene sin llegarse a una conclusión científica válida.

Lo cierto es que la "mateína" que contiene la "yerba mate" es un estimulante que ayuda al organismo, según el premio Nobel de medicina de 1947 Dr. Bernardo Houssay. Después hay muchísimos dictámenes y estudios sobre su aporte de vitamina C y su uso, sin que el gaucho lo

Yerba Mate according to Medicine

Some claim that yerba mate has many properties and others say that it is an useless vice. The hygiene of the bombilla (tube) has also been discussed, but nobody came to a valid scientific conclusion.

The truth remains that the "mateína" contained in the "yerba mate", according to Nobel prize winner (1947) Dr. Bernardo Houssay, is a stimulant for the body. There are also many opinions and studies about its content of Vitamin C and its antiscurvy use —although gauchos ignored this. Others claim

sepa, como anti escorbutoniano. También están los que sostienen que es más sano que el café y que en los casos que el té no puede ser ingerido si se puede tomar mate (dispepsia).

En cuanto a la bombilla las discusiones fueron tantas que la policía en 1899 prohibió su consumo en las dependencias policiales para volver a permitirlo recién en 1936, siempre y cuando cada agente tuviera su equipo.

Se inventaron mates higiénicos que eran usados en bares y ahora están los descar-

Sanmartiniano

that mate is healthier than coffee and add that, in some cases, when tea is contraindicated (dyspepsia) it can be drank.

As regards the use of bombillas, there were so many arguments over it that the police forbade the consumption of mate in the institution in 1899, and it was not until 1936 that it was allowed again, provided that every officer had its own mate utensils.

Hygienic mates were invented to be used in cafés and now there are discardable one. There used to be individu-

tables. Existieron bombillas con canuto de marfil del cual cada convidado tenía uno y lo iban cambiando a medida que el mate daba vuelta.

al ivory (tubes) that were changed as the mate was passed round.

Mates

Los mates más sencillos y económicos son los de calabacita. Tienen el problema que son susceptibles de romperse en la boca, en realidad rajarse o irse desgastando por la bombilla. Así fue que alguien le puso una virola de metal o anillo metálico a la boca del mate.

De esta forma ya tenemos al segundo mate en categoría de precio. Esta virola, de aluminio en la actualidad, tenía diferentes anchos cubriendo un poco más o menos al mate. También los metales fueron varios usándose bronce, hierro, cobre, estaño, alpaca, plata y oro. A su

Matepots

The simplest and most economical matepots are the calabash ones. They have one disadvantage: their mouth is easily broken; in fact it can crack or wear out because of the bombilla. So somebody had the idea of adding a metal band or ring round the mouth of the matepot.

This is the second cheapest type of matepot. This band —made of aluminum at present— was of different width (covering a small or a large area of the mate). Varied metals were used: bronze, iron, copper, tin, alpaca (nickel silver), silver and gold. Besides, country, flowered,

vez se la trabajó con motivos campestres, simples adornos de flores, religiosos, con influencia indígena (incaica, mataca, araucana, aymará, mapuche, toba, etc.).

Pero para cuidar un poco más la querida "calabacita" algunos decidieron recubrir esta con escroto de vacuno, buche de gallina o pavo, o cogote de ñandú. Este mate se lo conoce como "mate retobado". Algo más raras son las "calabacitas" recubiertas de arpillera y laqueadas, pero como todo va cambiando hoy en día se pueden encontrar excelentes trabajos en mates retobados con cuero de nonato. Estos dos últimos son factibles de encontrarse en las

religious or indigenous (Incan, Araucanian, Aymaran, Wichi, Toba, etc.) motifs were wrought on these bands.

Some covered the "small calabash" with bovine scrotums, turkey or hen crops, or ñandú (American ostrich or rhea) napes. This type of mate is known as "mate retobado". "Small calabashes" covered with burlap or lacquered are rarer, but as everything changes, nowadays you can find excellent works on mates retobados with leather from unborns. The two last mentioned are usually found in artisans market places. Generally, every artisan

ferias de artesanos y por lo general cada artesano le confiere una particularidad.

Los españoles afincados en las ciudades fueron los responsables que a esta simple "calabacita" se la fuera cubriendo de lujos. Por otra parte dependiendo de la ciudad o provincia los estilos fueron variando. ¿Pero cuales son estos lujos?

A la virola le siguió un casquete en la base. A esta se le adosaron 3 patas que pueden ser de distintas formas o hermosos pies labrados. Enseguida le siguió una cobertura total en 2 partes con base. A este mate se lo llamó "poro".

gives each mate some special feature.

The Spaniards settled down in cities made this simple "small calabash" turn into a luxurious article. Styles varied depending on each city or province. But what is this luxury about?

After metal bands came capped bases. Then, three legs were added to the base —they may be of different shapes or have beautiful wrought feet. Immediately after came a total covering consisting of two parts with a base. This mate was called "poro."

Si este mate era chato, y lógicamente de metal, se lo llamaba "galleta". En un primer momento no tuvo patas y se lo debía tener constantemente en la mano.

Los materiales pasaban de la alpaca a la plata con incrustaciones de oro, dependiendo de la posición social de la familia. A esto se le agregaba el trabajo del orfebre que repujaba el metal e incluso firmaba en la base de algunos mates.

Así fue como, con el transcurso del tiempo, los elementos de la sencilla costumbre de tomar un mate se convirtieron en objetos coleccio-

If this mate was shallow and, obviously, made of metal, it was named "galleta." At first, it had no legs so it had to be constantly hold in the hands.

Materials ranged from alpaca to silver with gold inlays, depending on the family's social status. Goldsmiths did repoussé work on metal and even signed on the base of some mates.

So, as time went by, the simple utensils used to have mate became

Buenos Aires

nables. En remates hay mates que llegan a costar varios miles de dólares, dependiendo la cifra de la firma o sello del platero y su procedencia, es decir, la familia que lo tuvo en uso.

Pero no sólo los mates se coleccionan, sino los elementos que se usaban para cebar. Como ser la yerbera, el caldero, la pava y por supuesto la bombilla.

Entre los mates de plata podemos dividirlos en 3 tipos según la zona y por razones geográficas:

a) Zona Peruana: muy trabajados con 3 pies y base cóncava, el cuello era saliente y con una tapa con

objects for collection. In auction sales you can find matepots that may reach a price of some thousand dollars, depending on the silversmith's signature or seal, and according to its origin —i.e. the family that it belonged to.

Not only matepots were collected but also the utensils used to cebar such as the yerbera (yerba pot), the small caldron, the kettle and, of course, the bombilla.

Silver matepots may be classified into three types according to zones and geographical reasons:

a) Peruvian zone: extremely worked three-legged mates with

cadena, la cual tenía un agujero por donde pasaban la bombilla.

b) Zona Chilena: se caracterizaban por tener un pequeño plato en la base que servía para colocar bizcochos.

c) Zona Argentina: con forma de cáliz trabajado a martillo con las características ya comentadas.

Existe un mate utilizado por los gauchos y arrieros cuyo material es algo exótico: asta vacuna con el tapón en la parte más ancha. El mate improvisado más común para estos hombres era la guampa de vacuno que también se podía llegar a usar para calentar agua. Como no resiste

concave base. The neck was prominent and had a top with a chain. There was a hole in the top through which the bombilla was inserted.

b)Chilean zone: the main characteristic of these mates was that they had a small dish on the base that was used to place biscuits.

c)Argentine zone: chalice-shaped, worked with a hammer, apart from the characteristics mentioned above.

Gauchos and muleteers use a matepot made of an exotic material: bovine horn with a top on the

el fuego directo se la coloca al rescoldo (sobre cenizas en el fogón) y se le van tirando piedritas chicas previamente calentadas en el fuego.

En el sur de Chile al igual que en la provincia de Neuquén se hacen mates de arcilla. Se trata de una técnica que proviene de los indios que poblaron la región antes de la llegada del europeo.

Para concluir con este parte, y como contrapunto al mate de plata, vale la pena rescatar al "mate cosido". Este realmente fue el mate más pobre que debe haber existido. Cuando a un gaucho se le rompía la "calabacita" tenía una solución: lo dejaba en remojo con agua caliente

wider side. The most common makeshift matepot for these men was the drinking-horn that could be even used to warm water. As this does not stand direct fire, it is placed on hot ashes near the fire and small hot stones are added little by little.

In the Chilean south as well as in the Argentine province of Neuquén, matepots are made of clay. This technique comes from the natives that inhabited the region before the coming of the Europeans.

To sum up this part, and as the opposite of the silver matepot, it is worth mentioning the "mate cosido" (sewn). This must have been

hasta que la corteza se ablandaba; luego, con una aguja de coser, lo perforaba al sesgo, es decir sin pasar del otro lado, y lo cosía con cerda de su caballo haciendo una verdadera sutura, como si se tratase de una herida.

Como curiosidad están los mates de 2 bocas o llamados "mate de los enamorados". En un tiempo eran de uso más frecuente que en la actualidad.

the humblest matepot that ever existed. When the "small calabash" of some gaucho was broken, there was a solution: it was soaked in hot water till the skin softened and then, with a needle and horsehair, he sewed it slantwise making a true seam, as if it were an injure.

There are some curiosities like matepots with two mouths called "lovers' mate." There was a time when they were more frequently used than nowadays.

La Bombilla

La bombilla es un invento bastante posterior. Ya vimos que los indígenas filtraban el líquido o lo bebían con un canuto de caña pero no se trataba de una bombilla verdadera.

La primer referencia escrita sobre un filtro es hacia mediados del siglo XVIII donde el jesuita alemán Florian Baucke cuenta que las familias adineradas se habían acostumbrado mucho a esta bebida pero la ingerían con cierta sofisticación.

Al mate propiamente dicho le introducían una especie de vaso per-

The Bombilla

The bombilla was invented much later. As we have mentioned, indigenous people filtered the liquid or drank it with a cane tube, but this was not a real bombilla.

The first record of a filter appeared by the middle of the 18th century —the German Jesuit Florian Baucke tells wealthy families had become used to this beverage which they drank with certain sophistication.

They introduced a kind of perforated glass which was hooked at the mouth of the mate itself. Inside

forado que se enganchaba en la boca del mate. Dentro de este iba una protuberancia de metal con perforaciones muy pequeñas. Hacia arriba y afuera del mate surgía un canuto de plata, de un palmo de largo, por el medio del cual se absorbía el líquido. Algo así como un doble filtro para evitar las pequeñas partículas de yerba. Según los entendidos este es el primer antepasado a la bombilla.

Pero es recién hacia mediados del 800 que aparece un canuto de plata soldado en un extremo con perforaciones finas. De esta manera se evitaba el vaso de doble filtro. En el campo se le adaptó al canuto de caña

this, there was a metal protuberance with very small perforations. Upwards and outside the mate, a one-palm silver tube through which liquid was absorbed came out. It was a kind of double filter to avoid small yerba particles. According to experts, this is the first ancestor of the bombilla.

But it was not until the middle of the 19th century that a silver straw with thin perforations welded at one end appeared. In the countryside a filter made of horsehair and hard cane fibers was added to the cane tube.

Modern bombillas do not differ from those used at the beginning of

un filtro confeccionado de crin de caballo y fibras duras de la misma caña.

Las bombillas actuales no han cambiado mucho de las que se usaban a principios del 900. Las hay rectas, curvas y cortas. Las mismas pueden ser lisas o con algún trabajo de repujado pero en serie. La parte filtrante puede ser plana, o en forma de bola (coco).

Los camioneros, aparentemente, introdujeron la costumbre de la bombilla curva para poder manejar tomando mate sin tener que bajar la vista. También se les atribuye un mate con boca muy ancha en vola-

this century. There are straight, curved, and short ones. They may be plain or with repoussé, produced in mass. The filter part may be flat or ball-shaped.

Apparently, truck drivers introduced the custom of using a curved bombilla to be able to drink mate while driving without having to look down. It is also said that they invented matepots with very wide jutting out mouths and a kind of breakwater with perforations so that mate is not spilt.

Silversmiths used bronze, alpaca, silver and even gold. On the other hand, they decorated the tube

dizo y una especie de rompeolas con perforaciones para no volcar el mate.

El material usado por los plateros era el bronce, alpaca, plata y hasta oro. Por otra parte se esmeraban en la decoración del canuto con filigranas de oro y hermosos repujados.

En cuanto a las costumbres se dice que un mate va con determinada bombilla y esta no debe cambiarse de mate.

with gold filigree and beautiful repoussé work.

It is said that there is a certain bombilla for every matepot and this should not be used in another matepot.

Guampa Gauchesca

Sobre el agua

Al igual que al sabor del té el agua tiene una importancia fundamental. El agua de la canilla con mucho cloro le puede dar un gusto bastante desagradable al mate. Tal vez los más ricos que he tomado son los hechos con agua de glaciar o río de montaña, pero ese depende del gusto de cada uno.

Pero si en algo todos están de acuerdo es que el agua del mate debe estar caliente pero nunca hirviendo. Los guaraníes usaban una vasija (cuenco) de barro cocido, que en algunos lugares todavía hoy se usa,

About the Water

The water used for mate is extremely important, just an in the case of tea. Running water with too much chlorine may make mate taste awful. Maybe, the most delicious mates I have ever tried are those prepared with glacial water or water from a mountain river, but this depends on your personal taste.

But everybody agrees that water for mate must be hot but never reach the boiling point. Guaranís used a clay bowl (cuenco) —presently still used in some places— in which they heated water for mate.

que ponían al fuego para calentar el agua a ser usada en el mate.

Los españoles reemplazaron dicha vasija por un jarro y luego, dados los pedidos expresos a la madre patria comenzaron a llegar los primeros calderos de la región de Cataluña. Con un asa, algo panzones y un vertedero que permitía dirigir mejor el chorro del agua fue un gran avance. Inglaterra compitió con las españolas siendo uno de los tantos elementos contrabandeados al Río de la Plata.

Aunque las calderas se siguen utilizando en

Litoral Argentino

The Spaniards replaced this bowl with a jug and then, the first cauldrons from the region of Catalonia started to come. These represented an advantage: they were potbellied and had a handle and a spout to pour water. English ones competed with the Spanish and were one of the items smuggled in the River Plate.

Although these cauldrons are still used, at the beginning of the last century the first "pavas" (sort of kettles) appeared. This word of Creole origin has been accepted by the

la actualidad ya a comienzos del 800 llegaron las primeras "pavas". Este vocablo de origen criollo ha sido aceptado por la Real Academia Española. Las pavas que arribaron a nuestras costas eran de hierro, o hierro enlozado e incluso peltre, y eran las que se usaban para preparar té.

A eso continuó toda una evolución en la forma de la pava pero vale la pena destacar que las familias adineradas de la época colonial tenían "pavas" de plata repujadas excelentemente trabajadas. Estas hacían al conjunto que representaba el mate, la bombilla, la pava, la yerbera y la azucarera; por supuesto tam-

Real Academia Española. Pavas that arrived in these coasts were made of iron, or crockery iron and even of pewter, and were used to prepare tea.

Then pavas shape developed, but it is worth noting that colonial wealthy families had silver "pavas" with repoussé work. This was part of the set made up of the matepot, the bombilla, the pava, the yerbera (container for yerba) and the sugar bowl. Of course, there was also a tray and, in some cases, a brazier.

Water used to be replaced by milk. Children and feeble people who were recovering from some ill-

bién estaba la bandeja y en algunos casos un brasero.

Un reemplazo del agua fue leche caliente. De esta forma se le daba a los niños y también a las personas débiles que se estaban recuperando de alguna enfermedad que la había tenido postrada.

ness and had been prostrated drank it.

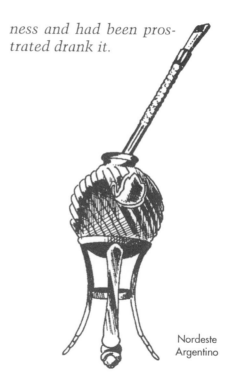

Nordeste
Argentino

Yerbera, azucarera y cuchara matera

La yerbera es un recipiente que sirve para guardar la yerba. Este de una simple bolsa de cuero que usaban los indios pasó a ser un recipiente de plata en las familias acomodadas. La azucarera que acompañaba a la yerbera en el acto de tomar mate fue unida a esta haciéndose un recipiente doble.

Pero como el uso se difundió se pasó de materiales caros a simples yerberas y azucareras de madera, latón o incluso de calabacín. En el caso de las de madera este material permitía ciertos lujos como el talla-

Yerbera, Sugar Bowl and and Spoon for Mate

The yerbera is a container used to keep yerba. Natives used a simple leather bag as yerbera and families of position had silver ones. The sugar pot was later on joined to the yerbera, so now these two make up a double container.

But when yerberas and sugar bowls became popular, cheaper materials such as wood, brass and even small calabash were used. Wood ones may be carved and even have inlay silver.

do e incluso la incrustación de plata.

En toda yerbera aparecía la cuchara matera. Esta cuchara realizada en asta de vacuno, madera o en plata para los ricos, tiene la particularidad de ser alargada con punta fina para poder introducirla en la boca del mate y cargarlo con yerba.

Every yerbera had its own mate spoon. This spoon made of a bovine horn, wood or silver —for the rich— is lengthened and has a narrow end so that it can be introduced in the mouth of the matepot to fill it with yerba.

Norteño

El idioma del mate

A medida que el mate se incorpora en todos los estratos sociales aparece lo que se ha llamado el "idioma" del mate. Dado que al servir un mate se podía transmitir un "mensaje" que con el tiempo se generalizó.

Estos mensajes se enviaban en las famosas ruedas de mate, cuando la mujer cebaba, sea un una posta en el camino o en el casco de una estancia o mas comúnmente con el tiempo, en las casas de los poblados. Todavía algunos mensajes siguen en vigencia pero los que se van a detallar eran de otra época, cuando el

The Mate Language

As mate reaches all social classes, a mate "language" appeared. When serving a mate a "message" could be transmitted and this, as time went by, became common.

This messages were sent in the famous mate rounds, when women prepared and served mate: in a posta (sort of post house) on the road or in the main house of an estancia or in village houses. There are some messages which are still in vogue, but the following belong to another time, when the mate "acquired the value of sympathy, of a friendly tie, of a promissory

mate "adquiría el valor de la simpatía, del vínculo cordial, de invitación promisoria- cuando era la mujer quien lo convidaba-, y de franca solidaridad cuando la mateada era entre hombres." (Tomado del libro "El Mate" de Francisco N. Scutellá). Imaginemos ese arriero que hacía un alto en el camino y paraba en algún puesto o caserío donde había una muchacha. No bien llegaba se le ofrecía lo único que se tenía, un mate. Se cruzaban algunas palabras y luego se seguía el camino para volver a pasar por el lugar un tiempo después, cuando en otra mateada se continuaba con la vida social comentando las novedades.

invitation —when it was the woman who offered it—, and of frank solidarity when the round was among men." (Extract from "The Mate", by Francisco N. Scutella). Let's imagine a muleteer that stopped on his way in some post or hamlet where there was some girl. As soon as he arrived, he was offered the only thing available: a mate. They exchanged some words and then, the muleteer would go on traveling to come back some time later, when social life continued commenting the news in the next round of mate.

Sweet mate: friendship, welcome. Mate with cinnamon: I am

Mate dulce: amistad, bienvenida. Mate con canela: me estás interesando. Mate con limón: Prefiero no verte. Mate con azúcar quemada: Te estoy pensando. Mate con leche: Respetuosa amistad. Mate con café: Estuve disgustada contigo. Te perdono. Mate tapado: no regreses. Anda a tomar a otro lado. Mate muy caliente: Espero tus palabras. Así es mi amor por ti. Mate espumoso: amor correspondido. Mate con toronjil: estoy enojada contigo. Mate con melaza: tu tristeza me aflige. Mate con miel: casamiento. Mate cebado por la bombilla: antipatía. Mate frío: desprecio. Mate con cedrón: consiento.

interested in you. Mate with lemon: I'd rather not see you. Mate with burnt sugar: I am thinking of you. Mate with milk: Respectful friendship. Mate with coffee: I was angry. But I forgive you. Blocked mate: Don't come back. Drink it somewhere else. Extremely hot mate: I'm waiting for you to talk to me. My love for you is like this. Foamy mate: Mutual love. Mate with balm: I'm angry. Mate with molasses: Your sadness makes me feel blue. Mate with honey: Marriage. Mate served by the bombilla: Antipathy. Mate with cedron: I agree.

Nowadays some old customs related to the mate are kept. For ex-

En la actualidad todavía quedan algunos viejas costumbres con respecto al mate, por ejemplo si en una rueda de mate una persona dice gracias al recibir el mate, quiere decir que no quiere más, que es el último. Si se queda en la rueda va a notar que lo saltean, no le ofrecen más mate. También es común escuchar "mate del estribo" que expresa el convidado cuando quiere indicar que es el último porque se tiene que ir sin más demora.

ample, if during a round of mate somebody says "thanks" when receiving a mate, that means it is the last mate that person will drink. If this person stays in the round, no other mate will be offered to him or her. It is also usual to hear: "spur mate", meaning that who is speaking is leaving soon.

La Matera

Recorriendo la zona rural del sur de sud América es normal encontrar en todos los establecimientos rurales una "matera". Este lugar es al que recurren los gauchos paisanos, arrieros, o como se los llame en dicha zona, a tomar unas ruedas de mate después de haber terminado la jornada de trabajo y mientras esperan el llamado a cenar.

Se trata de un lugar que puede estar en un galpón, o ser el hall de distribución para los cuartos de los empleados, o en la entrada de las tiras largas de la peonada. En sí se trata de una especie de "club de

The Matera

In the rural areas of southern South America, it is usual to find in every rural establishment a "matera". This is a place where gauchos, muleteers or countrymen meet to drink mate every day after work while they wait for supper.

This site may be situated in a large shed, or in the hall leading to the employees bedrooms, or at the entrance of the place where workers live. In fact, it is a kind of "men's club" where on a fire, a salamander or a simple 200 liters metal bowl with firewood, water for mate is heated. One or two men volunteer

hombres" donde en un fuego, fogón, salamandra o simple tacho de 200 litros con leña, calientan el agua del mate mientras uno o dos voluntarios se ofrecen a cebarlo. Alrededor del fuego, sentados en viejas sillas, tocones de leña a modo de "puf", o destartalados sillones, se forma una rueda de mate. Allí se charla sobre todo lo sucedido durante el día, se gastan algunas bromas, especialmente a los peones mas jóvenes, se cuentan chistes y se espera la campana para ir a cenar. Esta costumbre de tomar mate mientras se espera la cena es normal tanto en las estancias como en la vida al aire libre. Los arrieros del sur, o los reseros (que llevan reses) y troperos (lle-

to serve it. Round the fire, sat on old chairs, or puff-like firewood stumps, or in shabby armchairs, a round of mate is formed. So, these men comment on what happened during the day, pull their legs —especially the young—, tell jokes and wait for the bell to toll calling for supper.

This custom of drinking mate while waiting for the supper is usual both in estancias and for those who live in the open air. Southern muleteers, or herdsmen and northern cowboys dismount, when night falls, and drink mate next to a makeshift fire while waiting for the roasted meat to be ready.

van tropillas) del norte, al caer la tarde dejan sus cabalgaduras y mientras se espera que el costillar este listo se toma mate junto al fogón improvisado. Vivir la experiencia de una matera, donde los "viejos" pasan sus conocimientos sobre el campo y la vida a los mas jóvenes, casi como si fueran confesiones, mientras se toma una rueda de mate; todos en esa posición que obliga el mate, con la cabeza inclinada hacia el piso, casi en forma de reverencia, con la vista baja ante cada sorbo, da la sensación de estar ante algo sublime, tal vez lo sea.

In a matera, the old pass their knowledge about the country down to the younger —as if they were in confession—, while drinking a round of mate. They all adopt the position forced by mate: the head slanted to the floor, almost reverence-like, looking down with each sip, which creates the sensation of being facing something sublime. Maybe it is.

Bibliografía ~ Bibliography

Arata, Pedro N.: "El mate en nuestras costumbres".

Scutella, Francisco N.: "El mate".

Moya, Ana: "El Mate", de la revista "Magazine Semanal", Diario El Litoral.

Villanueva, Amaro: "El mate: arte de cebar".

Prof. Alicia Talsky de Ronchi: del Museo Histórico Provincial de Santa Fe, "Brig. Gral. Estanislao López".